Anne Leviel • Martin Matje

Drôle de cadeau dans le traîneau !

bayard jeunesse

Au bout du ciel,
il y a quelqu'un qui est drôlement content…
C'est le Père Noël !

Ses rennes sont joyeux,
son traîneau est bien astiqué
et il ne manque pas
un seul cadeau.
Mais avant de s'envoler,
le Père Noël doit traverser
une grande forêt.
Et c'est un peu plus loin,
au bout de cette forêt,
qu'il pourra enfin plonger
dans le ciel !
Les rennes s'élancent.
Le traîneau file.
Hop ! Hop !
Trotte, galope et flotte !
Le Père Noël, les yeux fermés,
écoute les grelots
qui chantent dans son dos.
Il attend le moment
de s'envoler dans le ciel.

Mais… mais…

brusquement, les rennes s'arrêtent en catastrophe.

En plein milieu du chemin enneigé,

un loup noir barre la route, d'un air décidé.

–Retire-toi de là! ordonne le Père Noël.

Je suis pressé! Tu ne me reconnais donc pas ?

–Si, je te reconnais, répond le loup sans bouger du tout.

Et c'est pour ça que je suis là.

Cette année, je veux que tu m'emmènes avec toi !

Ohlala! Le Père Noël n'est pas du tout d'accord.

Un loup dans son traîneau ?

Et si c'était une ruse de loup pour dévorer

un tas de petits gars en pyjama ?

–Ah, ça non! crie le Père Noël. Pas question !

Mais voilà que le loup prend une toute petite voix.
Il pleurniche :
– C'est toujours comme ça,
personne ne veut jamais de moi.
Le Père Noël est embêté.
Peut-on vraiment laisser quelqu'un seul,
dans la forêt, la nuit de Noël ?
Même un loup ?
Rien que d'y penser, il en a le cœur serré.
– Allez, marmonne le Père Noël au loup,
c'est d'accord. Monte dans le traîneau !
Les rennes se remettent au galop.
Hop ! Hop ! Trotte, galope et flotte !
Les voilà en plein ciel !
Soudain, au loin, le Père Noël aperçoit
la montagne biscornue.
C'est le domaine de la sorcière Rose-Crochue.
– Tiens, tiens… se dit-il.
Peut-être qu'elle aimerait ça, elle,
un loup, en cadeau de Noël ?

Hop ! Hop ! Trotte, galope et flotte !
Les voilà arrivés
sur la montagne biscornue !
Le Père Noël crie :
– Holà, Rose-Crochue !
J'ai un cadeau pour toi !
Rose-Crochue n'en croit pas
ses oreilles :
– Un cadeau pour moi ?
Nom d'un rutabaga,
c'est nouveau, ça !

Le Père Noël pousse Rose-Crochue
vers le traîneau :
– Regarde, lui dit-il,
il n'est pas beau, mon cadeau ?
Mais en voyant le loup, la sorcière se met à hurler :
– Ah, non, non, non, pas de loup !
Surtout pas de loup ! Je viens d'acheter
deux moutons à cinq pattes,
des moutons maléfiques de première qualité.
Le loup pourrait me les dévorer !
Le loup marmonne :
– C'est toujours comme ça,
personne ne veut jamais de moi.
Rose-Crochue a une idée.
Elle dit au Père Noël :
– Va voir la fée Fraîche-Mine. Tu sais, la fée !
Elle appelle tout le monde « mon p'tit loup »,
alors… elle doit les aimer, ces bêtes-là !

Hop ! Hop ! Trotte, galope et flotte !
Le Père Noël file chez Fraîche-Mine.
À peine l'aperçoit-il de loin qu'il se met à crier :
– Hou hou, Fraîche-Mine, tu me reconnais ?
J'ai un cadeau qui va t'étonner !
Fraîche-Mine arrive en courant,
elle ouvre ses bras tout grands en disant :
– Salut, mon p'tit loup ! Tu as pensé à moi !
C'est gentil, ça !

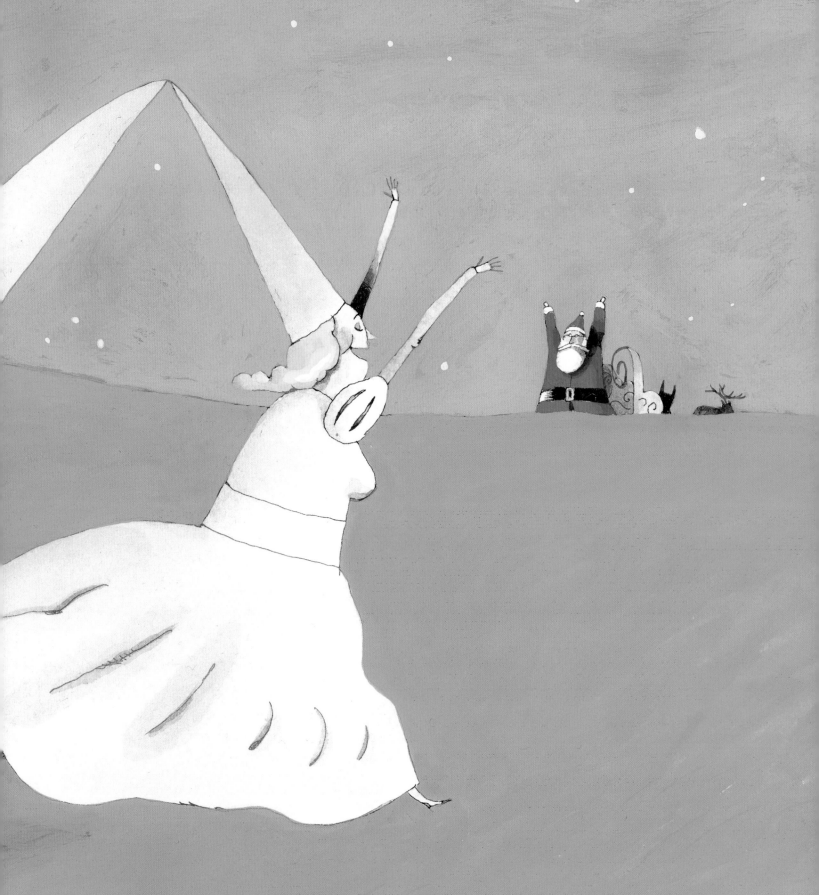

Mais quand le Père Noël lui montre le loup
couché dans le traîneau,
Fraîche-Mine prend un air catastrophé.
Elle secoue la tête et elle dit :
– Un loup ? Non, non... je viens juste d'enfiler
ma nouvelle robe d'hiver,
une robe à la dernière mode,
en fils de givre tressés !
Il va tout abîmer avec ses pattes crottées !
Le loup baisse le museau :
– Tu vois, je te l'avais dit...
C'est toujours comme ça,
personne ne veut jamais de moi.
Le Père Noël est étonné :
le loup va-t-il se mettre à pleurer ?

Hop ! Hop ! Trotte, galope et flotte !
– Où est-ce qu'on va, maintenant ?
demande le loup d'une toute petite voix.
Le Père Noël répond :
– Chez les lutins de Saint-Glinglin.
Le loup balbutie :
– Tu… tu vas encore…
me donner en cadeau ?
Et voilà que le loup se met à pleurer, à pleurer…
– Eh, doucement, murmure le Père Noël,
tu vas mouiller tous les cadeaux !
Mais dis-moi, à la fin : que veux-tu que je fasse de toi ?
Le loup répond en sanglotant :
– Je voudrais… t'aider à… déposer les… paquets !
Le Père Noël ne peut pas s'empêcher de penser :
« Et si c'était une ruse de loup pour essayer
de croquer deux ou trois petits d'hommes,
à la sauce d'oreiller ? »
– Bon, décide le Père Noël, d'accord,
tu vas m'accompagner.
Mais tu resteras dans le traîneau.
Distribuer les cadeaux, c'est mon boulot !

Le Père Noël commence sa tournée.
Il descend dans chaque cheminée,
portant des piles de paquets.
Le loup, lui, monte la garde
dans le traîneau.

Tout à coup, le Père Noël se met à crier :
– Aïe, ouille, ouille, ouille !
Sur le toit glissant, il a dérapé.
Le voilà les deux pieds coincés
entre deux cheminées !
Aussitôt, le loup, d'un bond léger,
saute du traîneau.
Le Père Noël s'affole :
« Ça y est ! Il en profite parce que je suis coincé,
et il va descendre par les cheminées
chercher des enfants à croquer ! »
Du toit, le Père Noël se met à hurler au loup :
– Où vas-tu ? Que fais-tu ?

Le loup s'approche.
Et voilà que tout doucement,
il se met à tirer le Père Noël
pour le décoincer.
Ouf, ça y est, le Père Noël est dégagé.
Mais ses grosses bottes fourrées
sont restées coincées !

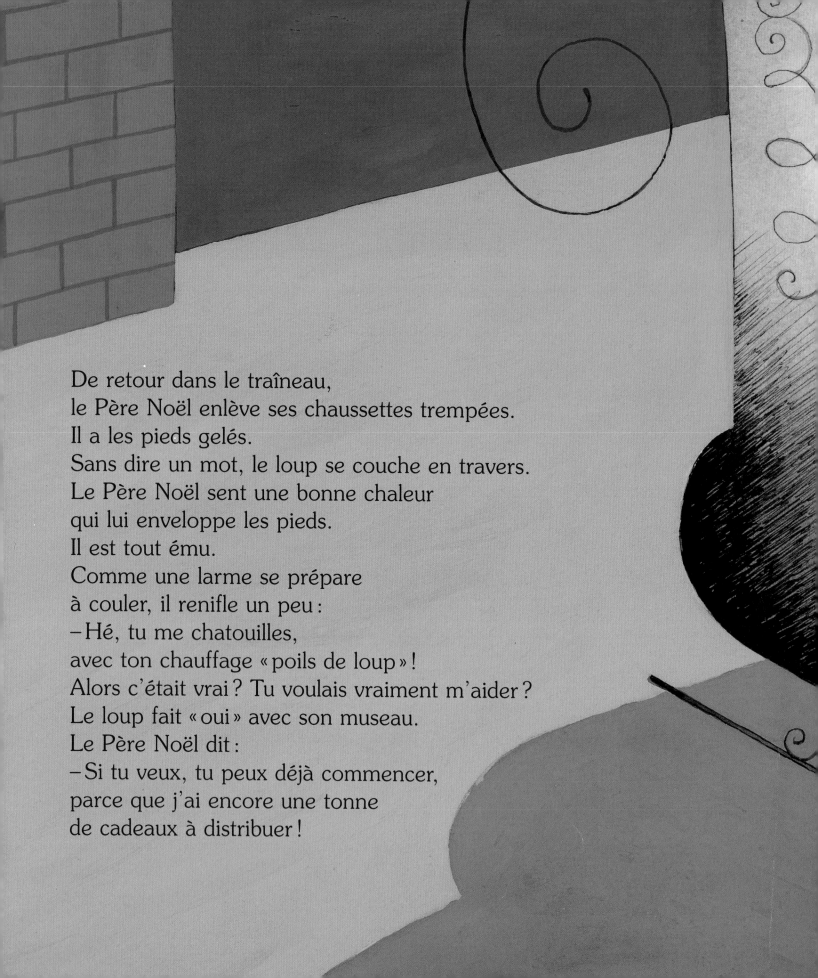

De retour dans le traîneau,
le Père Noël enlève ses chaussettes trempées.
Il a les pieds gelés.
Sans dire un mot, le loup se couche en travers.
Le Père Noël sent une bonne chaleur
qui lui enveloppe les pieds.
Il est tout ému.
Comme une larme se prépare
à couler, il renifle un peu :
– Hé, tu me chatouilles,
avec ton chauffage « poils de loup » !
Alors c'était vrai ? Tu voulais vraiment m'aider ?
Le loup fait « oui » avec son museau.
Le Père Noël dit :
– Si tu veux, tu peux déjà commencer,
parce que j'ai encore une tonne
de cadeaux à distribuer !

Le loup est tellement heureux qu'il n'arrive pas à parler.
Il saute du traîneau, tout chargé de paquets.
Les yeux brillants, il va les déposer
tout doucement dans les cheminées.
Et entre chaque maison, le loup n'oublie pas
de réchauffer les pieds glacés du Père Noël.

Quand tous les cadeaux sont déposés,
le traîneau file dans le ciel.
Hop ! Hop ! Trotte, galope et flotte !
Le voilà qui traverse à nouveau la forêt.
Le Père Noël serre le loup dans ses bras
et il lui dit :
— Avant, je ne te connaissais pas.
Noël m'a fait une drôle de surprise.
Maintenant, je ne t'oublierai pas.

Dans le silence de la forêt,
le Père Noël et le loup, les yeux fermés,
mains et pattes serrées,
écoutent les grelots
qui chantent dans leur dos.
Hop ! Hop ! Trotte, galope et flotte !

Dans la collection
Les Belles HISTOIRES

René Escudié
Claude et Denise Millet

Claire Clément
Jean-François Martin

Anne-Isabelle Lacassagne
Emilio Urberuaga

Claude Prothée
Didier Balicevic

Michel Amelin
Ulises Wensell

Emilie Soleil
Christel Rönns

Kidi Bebey
Anne Wilsdorf

Gwendoline Raisson
Anne Wilsdorf

Thierry Jallet
Sibylle Delacroix

Gigi Bigot
Ulises Wensell

Agnès Bertron
Axel Scheffler

Thomas Scotto
Jean-François Martin

Catharina Valckx

Pascale Chénel
Britta Teckentrup

René Escudié
Ulises Wensell

Marie Bataille
Ulises Wensell

Claude Prothée
Anne Wilsdorf

Anne Mirman
Éric Gasté

René Escudié
Ulises Wensell

Jo Hoestlandt
Anne Wilsdorf

Mimi Zagarriga
Didier Balicevic

Odile Hellmann-Hurpoil
Régis Faller

Céline Claire
Aurélie Guillerey

Xavier Gorce
Yves Calarnou

ISBN 13 : 978 -2-7470-2542-3
© Bayard Éditions 2008
Texte de Anne Leviel, illustrations de Martin Matje
Dépôt légal : septembre 2008 - 6e édition - tirage : octobre 2014
Impression en France par Pollina s.a., 85400 Luçon - L69959B
Loi 49-956 du 16 juillet 1949 sur les publications destinées à la jeunesse